小鳄鱼大嘴巴系列

迟到的春节

朱惠芳／文　　王祖民／图

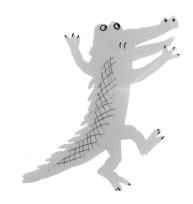

上海教育出版社
SHANGHAI EDUCATIONAL
PUBLISHING HOUSE

春风吹暖了小池塘，小鳄鱼一家睡了整整一个冬天，都醒来了。

小鳄鱼迫不及待地跑出家门，去找他的好朋友们。

小鳄鱼听得糊里糊涂。

春节是什么
东西？能吃吗？
甜不甜？

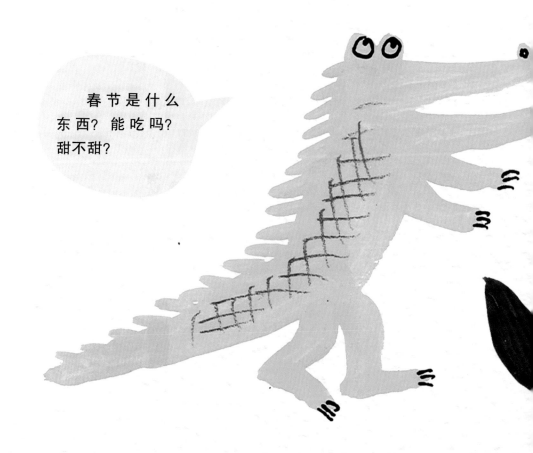

春节就是过新年，你连这个也不知道？

冬眠的动物们一定都没过春节，我叫醒他们一起过。

小鳄鱼去找小刺猬。

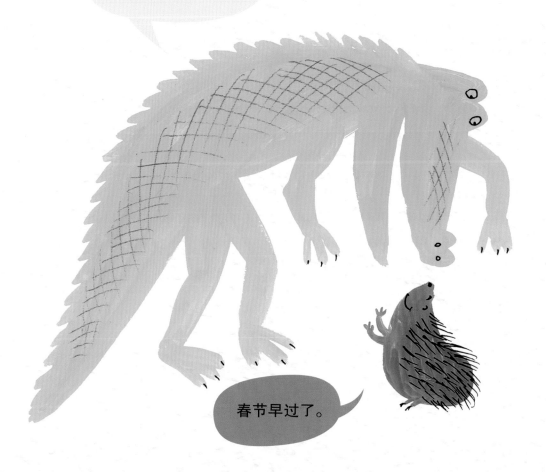

小刺猬，我们一起过春节吧。

春节早过了。

小鳄鱼又去找小青蛙、小花蛇和小熊，约好明天一起过春节。

第二天一早，小鳄鱼在家门口挂起了两盏红灯笼，还贴上了漂亮的窗花。

小青蛙带来了一副春联；小刺猬带来了一串红鞭炮；小花蛇带来了一面小花鼓，尾巴在鼓上敲出了快乐的节拍。

咦？哪来的一只威风凛凛的绒毛狮？

原来是小熊表演起了舞狮子！

小鳄鱼的家里好热闹！

小猴、小兔和小狐狸也来了，他们是来道歉的。

对不起，小鳄鱼，你是因为冬眠才不知道春节的，我们不该笑话你。

还有小伙伴带来了一个大红包，使劲往空中一撒，飞出了五彩的纸屑，就像彩色的雪花。

朋友们一起过了一个迟到的春节!

游戏开心乐

找礼物

春节到了，小鳄鱼和朋友们都收到了礼物。请你找一找，这些礼物分别是谁的呢？

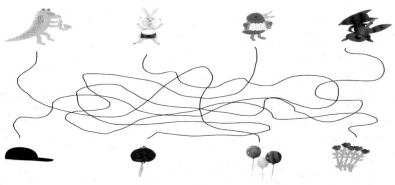

中国节

中国有很多传统节日，你知道这些节日的名称和习俗吗？请你看一看，连一连。

中秋节　　　端午节　　　春节　　　元宵节

春节晚会

　　小鳄鱼和朋友们参加了春节晚会，真是快乐的一天！摄影师给他们拍了两张合影，你能找出其中的不同吗？

朱惠芳

幼儿教师，江苏省作家协会会员。工作之余
创作童话，在国内幼儿杂志上发表400多篇童
话，近年来出版绘本系列《我来保护你》《生
命的故事》等。

王祖民

苏州桃花坞人。大学毕业后一直从事童书出版和儿
童绘画工作。近几年致力于儿童绘本的创作，喜欢
探索各种绘画方式，以期呈现给儿童丰富多彩的画
面。"我很庆幸毕生能为天真无邪的孩子们画画，
很享受画画的愉悦。"

图书在版编目（CIP）数据
迟到的春节 / 朱惠芳文；王祖民图.
—上海：上海教育出版社，2018.4
（看图说话绘本馆. 小鳄鱼大嘴巴系列）
ISBN 978-7-5444-8282-0

Ⅰ.①迟… Ⅱ.①朱…②王… Ⅲ.①儿童故
事–图画故事–中国–当代 Ⅳ.① I287.8

中国版本图书馆 CIP 数据核字 (2018)
第 069356 号

看图说话绘本馆·小鳄鱼大嘴巴系列
迟到的春节

作　　者　朱惠芳/文　王祖民/图
责任编辑　管　倚
美术编辑　王　慧　林炜杰
封面书法　冯念康

出版发行　上海教育出版社有限公司
官　　网　www.seph.com.cn
地　　址　上海市永福路 123 号
邮　　编　200031
印　　刷　上海昌鑫龙印务有限公司

开　本　787×1092 1/24 印张 1
版　次　2018 年 4 月第 1 版
印　次　2018 年 4 月第 1 次印刷
书　号　ISBN 978-7-5444-8282-0/I·0103
定　价　15.00 元

如发现质量问题，请向本社调换 电话 021-64377165